© Éditions Gallimard 1988
1ᵉʳ dépôt légal : avril 1988
I.S.B.N. 2-245-02468-0
Dépôt légal : juin 1990 (1). Numéro d'édition 7986
Imprimé par la Éditoriale Libraria en Italie

LE LIVRE DES DESERTS

COLLECTION DECOUVERTE CADET

Geneviève Dumaine
Illustrations de
Sylvaine Pérols

LE LIVRE DE PARIS-GALLIMARD

Jeûnons, taureau, fils de la Fauve ! Par Dieu,
soit endurant !
Même sur les hauteurs, il n'y a pas eu d'averse !
Les Pléiades n'ont pas encore paru !
Les oies d'Égypte ne sont pas montées !
Les gouttes de pluie ne sont pas tombées !
Les canaux ne sont pas gonflés !
ni détrempés les campements abandonnés !...
L'été torride a brûlé l'herbe des pacages,
la fournaise a consumé mes pieds,
la pauvre tête fond en sueur
et la pauvre bouche écume !
... Et vous trouvez que la provende
n'a pas encore poussé !
Nulle part encore où la poussière poudroie
sous la poussée de l'herbe !
La voûte du ciel est sans nuage,
nulle brume au firmament,
mais tout autour de nous, de jeunes veaux,
sabots et terres arides,
poussière et fournaise
telles que les bêtes fuient
faisant la navette entre les mares,
si rare est l'eau !...

Poème peul

Ce livre appartient à

....

Les mythes du désert

Les Indiens hopis du désert de l'Arizona utilisent des poteries pour accomplir les rites sacrés.

Peinture évoquant la « danse de la pluie » des Indiens pueblos au Nouveau Mexique.

L'orifice central est le « sipapu », trou mythique de la terre par où les Hopis sont sortis du monde souterrain.
Les lignes représentent la matrice de la Terre mère et les esprits de ceux qui ne sont pas encore nés.
Les quatre coins de la Terre entourent l'œil du Grand Esprit, représenté par un aigle.

Le mot désert est chargé de rêves et de symboles ambivalents. Il évoque silence, pureté, absolu, mais aussi un lieu magique, hanté, source d'effroi et d'épreuves.

Terre du dépouillement, de la soif et de la faim, il envoûte.

Une longue tradition veut que le désert trempe les âmes fortes et soit le cadre privilégié de la contemplation et de la révélation. C'est là que Dieu se

*Mon âme a trouvé sa demeure
au pays du silence.*
Psaumes, 94, 17

Les hommes ont longtemps cherché le mont Sinaï. La tradition a situé ce lieu au Djebel Musa (3) où fut construit le monastère Sainte-Catherine. Récemment, l'archéologue italien E. Anati a retrouvé la trace des Hébreux au Djebel Ideid (1), plus au nord. Itinéraire des Hébreux vers le Sinaï (2).

manifeste ; c'est cet espace que les grandes quêtes mystiques ont traversé : la quête de la Terre Promise par les Hébreux, la quête de l'Essence par les musulmans... Mais Dieu absent, c'est l'image de la stérilité.

A l'aube, le sorcier interprète la volonté des dieux dans les traces du « renard pâle » (chacal) sur le sable du carré magique.

*Où est Iahvé qui nous fit monter
au pays d'Égypte
et nous fit marcher dans le désert,
dans une terre de steppe et de fosse,
dans une terre desséchée
et ténébreuse
dans une terre où personne n'est passé
et où n'habite aucun homme.*

Jérémie II, 6.

9

Définitions du désert

Certains déserts, comme celui de l'Arizona, reçoivent de légères chutes de neige en hiver.

D'origine latine, le terme « désert » signifie « abandonné ». Il désigne un espace vide, parce qu'hostile à toute manifestation de vie. La cause première de cette hostilité est l'aridité ou manque d'eau.

Il suffit qu'un obstacle empêche l'arrivée des nuages porteurs de pluie pour que se forme un désert. On recense quatre causes principales à l'aridité :

- **les hautes pressions atmosphériques** centrées sur les tropiques forment un bourrelet d'air chaud et sec qui repousse les pluies. Ce qui entraîne l'apparition, à ces latitudes, de *ceintures désertiques tropicales* qui traversent tous les continents ;

- **des courants froids**, le long des côtes occidentales, refroidissent les vents marins qui, de ce fait, recueillent peu d'humidité. Le brouillard et la brume

qu'ils apportent se condensent rarement en pluie. Ce sont les *déserts côtiers* d'Atacama, au Chili, ou du Namib, en Afrique australe ;

- **l'éloignement de la mer** de régions situées à l'intérieur de vastes masses continentales, telles que l'Asie ou l'Australie, oblige les vents marins à parcourir de longues distances. Durant ce trajet, ils perdent peu à peu leur humidité. Ainsi se sont créés les *déserts d'éloignement* du Turkestan et de Gobi ;

- **des barrières montagneuses** font obstacle au vent marin chargé d'humidité. Celui-ci doit s'élever le long de la montagne, et se refroidit ; la vapeur d'eau se condense alors et tombe en pluie ou en neige. Mais l'autre versant reste sec. Ainsi se forme un *désert d'abri* comme le Takla-Makan, en Chine.

Le sol du désert est jonché d'éléments disparates que l'absence d'humidité ne permet pas de « souder » entre eux.

Ce paysage saharien présente un condensé des différents aspects du désert : sables, rochers très colorés, éboulis et oasis.

En altitude, l'air est rare, froid et pauvre en humidité. Ainsi, les hauts plateaux de l'Himalaya sont des déserts froids.

Dans le Sahara, les nuits sont froides, il peut même geler. L'air est si pur que la clarté de la lune y est éblouissante.

Dans les régions tempérées, les nuages modèrent les températures : le jour, ils arrêtent les rayons du soleil ; la nuit, ils retiennent la chaleur émanant du sol (1). Dans les déserts, l'atmosphère se refroidit très vite car rien n'arrête l'air chaud qui monte du sol (2).

Des déserts chauds, des déserts froids

Le climat d'un désert dépend de sa situation par rapport au niveau de la mer - altitude - et de sa distance de l'équateur - latitude. Le Sahara, en Afrique du Nord, et le désert de l'Atacama, au Chili, sont très chauds, car de faible altitude et proches de l'équateur. Par contre, le désert de Gobi, en Mongolie, situé plus au nord et plus élevé (1 200 m), connaît des hivers très rudes atteignant – 50 °C.

Des températures extrêmes

L'atmosphère, en régions désertiques, contient très peu de vapeur d'eau, de sorte que rien ne fait écran au rayonnement solaire. L'insolation est donc intense le jour, et la chaleur très forte ; le sol, mauvais conducteur thermique, accumule l'énergie solaire et peut atteindre 70 °C (54 °C à l'ombre !). La nuit, elle, est glaciale : la cha-

1

2

leur du sol se dissipe rapidement et la température peut même descendre au-dessous de 0 °C. C'est cette fraîcheur qui permet aux plantes et aux animaux de survivre.

12

La lune s'est levée duns son ciel, entourée d'étoiles ; les feux se sont allumés, les Bédouins se sont rangés autour, et la flamme a jeté ses pittoresques clartés sur ces scènes que nous ne verrons bientôt plus.

Comtesse de Gasparin

> *... des amas de graviers et de pierres, à jamais inutiles et inutilisables, affectant, on ne sait pourquoi ni pour quels yeux, des formes très cherchées, qui sans doute sont là immuables depuis des siècles, dans le même silence et les mêmes splendeurs de lumières.*
>
> Pierre Loti

La roche nue est une constante dans les déserts : plateaux de basalte noir (Syrie) ; plateaux de calcaires de l'Hadramaout (Yémen) ; plateaux de grès du Tassili (Sahara).

Des paysages variés

Façonnés par le vent, le gel, les écarts de température, les paysages désertiques ne se réduisent pas à d'immenses étendues de sable torride. Ils offrent au contraire un aspect varié, souvent brutal : versants en pente raide, talus d'éboulis, sommets déchiquetés, rochers aux couleurs violentes,

1   2   3

D'apparence uniforme, la surface du reg présente une texture variée : des cailloux fendus (1), éclatés (2), polis (3) par le vent de sable et noircis par les sels métalliques (le vernis désertique).

dénudés et sculptés par l'érosion de façon spectaculaire. Ils varient selon leur histoire géologique : les plateaux aux roches nues ou *hamadas*, les plaines caillouteuses ou *regs*, les montagnes, souvent d'origine volcanique, se rencontrent plus fréquemment que les vastes étendues de dunes, les *ergs*.

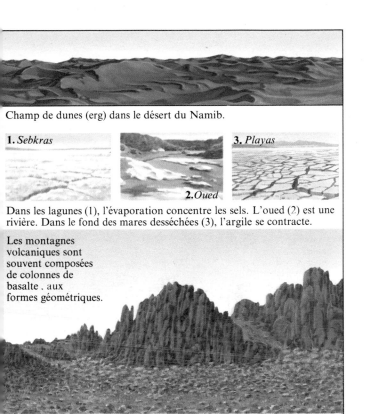

Champ de dunes (erg) dans le désert du Namib.

1. *Sebkras*

3. *Playas*

2. *Oued*

Dans les lagunes (1), l'évaporation concentre les sels. L'oued (2) est une rivière. Dans le fond des mares desséchées (3), l'argile se contracte.

Les montagnes volcaniques sont souvent composées de colonnes de basalte . aux formes géométriques.

Le piton (inselberg) au pied couvert d'éboulis (pédiment) est un relief d'érosion caractéristique de tous les déserts.

15

L'avancée des déserts

Au Sahel, il faut creuser de plus en plus profond pour trouver l'eau quotidienne indispensable.

Les bovins ont besoin de 30 litres d'eau par jour. Leurs squelettes balisent l'avancée de la sécheresse qui tarit mares et puits.

Les grands déserts du globe, qui existaient avant l'apparition de l'homme, n'ont jamais cessé de se déplacer suivant les modifications du climat. Depuis le Néolithique, l'homme a colonisé les régions de bordure (*sahel,* en arabe) où l'équilibre naturel est fragile, et il a suivi les avancées ou les reculs des déserts.

Actuellement, tous les déserts du monde s'étendent rapidement, obligeant les hommes à fuir ou à mourir. Cette désertisation, ou avancée du désert, serait due au climat et à l'homme. Les variations du climat s'effectuent selon des cycles naturels plus ou moins longs qui vont du millénaire à la décennie. Celles qui s'opèrent sur des milliers d'années sont liées à des modifications de l'orbite terrestre, qui conditionnent les températures de l'atmosphère, et de ce fait, les vents et les pluies.

Le Sahel actuel repose ainsi sur un désert fossile d'il y a 20 000 ans, époque où le climat désertique descendait 400 km plus au sud. Les déserts regagnent peu à peu leurs anciennes limites.

Les variations des pluies, qui jouent sur des décennies, seraient directement associées à l'apparition cyclique d'un courant océanique chaud, *El Niño*, qui modifie les moussons et les alizés.

L'action de l'homme s'ajoute à ces causes naturelles de sécheresse. En devenant agriculteur-éleveur, il modi-

fie la couverture végétale. Il déboise, et la disparition des grandes forêts entraîne une perte d'humidité dans l'atmosphère. L'abondance des troupeaux dans certaines régions provoque une disparition de l'herbe et une baisse du niveau des nappes d'eau. Le désert s'installe là encore plus vite.

La destruction des arbres accentue l'avancée du désert.

Dans le *Nordeste* brésilien, la forêt a fait place à une croûte d'argile desséchée.

Le vent pousse inexorablement les dunes.

Le pays du vent

Là où les anciens fleuves ont déposé des alluvions, le vent enlève peu à peu les éléments fins (1). Les cailloutis s'agglomèrent (2) et constituent un pavage (3). Les *regs* (4), plaines de cailloux, sont fréquents.

Le vent emporte les éléments fins qui forment des nuages.

Dans les régions désertiques, où la végétation est rare ou absente, rien n'arrête le vent. Les éléments du sol ne peuvent s'agréger par manque d'humidité, et les particules les plus fines, les plus légères, sont soulevées par le vent, parfois violent, qui, constamment, inlassablement, balaye le sol. On appelle ce phénomène la déflation. Le sable ou les graviers progressent par petits bonds ou en roulant, les gros

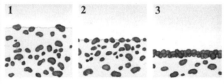

éléments restent en place. Ainsi le vent opère un véritable tri et ce vannage crée un paysage de cailloux, le reg, ou des surfaces rocheuses dénudées, la hamada.

Le vent transporte

Des vents violents soulèvent parfois la poussière ou le sable, formant des nuages qui obscurcissent le ciel et rendent l'air irrespirable. Ces vents, particulièrement déséchants, peuvent être

mortels, et les poussières les plus fines sont capables de franchir des milliers de kilomètres pour retomber sur des régions lointaines.

Le vent érode

Chargé de sable, le vent use la roche sur son passage : c'est la corrasion. Il sculpte ainsi des facettes sur les galets, grave des stries sur les parois rocheu-

ses, modèle les rochers et crée des cavernes dans certains défilés. Le sable agit comme une ponceuse à laquelle rien ne résiste.

Le vent dépose

Quand le vent perd de sa force ou se heurte à un obstacle, il laisse tomber les grains de sable qu'il transporte. Ceux-ci se déposent uniformément s'il y a un peu de végétation ; on obtient alors une plaine de sable ou *goze* (mot iranien). Le plus souvent, le sable s'amoncelle en dunes, soit isolées, soit groupées en véritable mer, l'*erg*. La dune est toujours dissymétrique, offrant une pente douce et une pente raide qui indique la direction du vent.

Peut-être qu'il parle avec le bruit léger du vent qui vient du fond de l'espace, ou bien avec le silence entre chaque souffle du vent. Peut-être qu'il parle avec les mots de la lumière, avec les mots qui explosent en gerbes d'étincelles sur les lames des pierres, les mots du sable, les mots des cailloux qui s'effritent en poudre dure, et aussi les mots des scorpions et des serpents qui laissent leurs traces légères dans la poussière.

J.M.G. Le Clézio

> *Sur cette étendue de sable, il n'y a personne, pas un arbre, pas une herbe, rien que les ombres des dunes qui s'allongent, qui se touchent, qui font des lacs au crépuscule.*
> J.M.G. Le Clézio

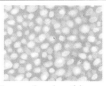

Les grains de sable, formés de quartz très résistant, s'arrondissent et se polissent en rebondissant les uns sur les autres sous l'action du vent. Cette forme ronde des grains est dite « éolienne ».

Le vent du désert sculpte des formes

Que ce soit en érodant les roches tendres ou en accumulant le sable transporté, le vent crée les formes caractéristiques des régions désertiques, même si le climat s'est ensuite modifié. Chacune de ces formes dépend de la force du vent, de sa direction et de sa constance. On les rencontre dans tous les désert soumis aux mêmes conditions, mais leur nom dépend du pays ou elles ont la première fois été étudiées.

Barkhane

Dans les régions pauvres en sable, le vent crée des dunes isolées, en forme de croissant, nommées *barkhanes*. Elles sont très mobiles et se déplacent dans la direction du vent. Le versant exposé au vent présente une pente douce, le versant sous le vent une pente raide.

Rocher-champignon

Le vent ne soulève les grains de sable qu'à 1 ou 2 mètres du sol. Seule la base des rochers est alors érodée et on obtient des formes « en champignon » avec un pied aminci par l'abrasion et une grosse tête polie.

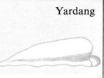
Yardang

Dans les terrains crayeux ou argileux, très tendres, le vent découpe des monticules ou des crêtes : les *yardangs*, typiques des déserts du Turkestan ou d'Iran. Ces yardangs sont orientés dans la direction du vent dominant.

Sif

La dune en « S » ou *sif* se crée quand un vent contraire déforme une série de barkhanes. Le mot sif vient de l'arabe et signifie : sabre courbe.

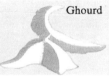
Ghourd

Les vents irréguliers provoquent la formation de dunes pyramidales appelées *ghourds* au Sahara. Elles peuvent s'élever jusqu'à 300 m et demeurent parfaitement immobiles. Quand le vent souffle et arrache du sable à la crête de la dune, on dit qu'elle « fume ».

Dunes parallèles

Les vents forts, constants et stables accumulent le sable en longues dunes parallèles s'étalant parfois sur 200 km, séparées par des couloirs non sableux qu'empruntent les caravanes ou les camions.

21

Le pays de la soif

Les gangas, perdrix du désert, imbibent leurs plumes d'eau pour faire boire leurs petits.

Le scarabée du Namib condense sur son corps les gouttes de

brouillard nocturne qui coulent jusqu'à sa bouche.

Ce cousin de la vigne dans le Namib, et la coloquinte au Sahara sont des réservoirs d'eau.

Dans les déserts, l'eau est rare mais pas totalement absente ; la pluie finit par tomber, l'air nocturne contient de l'humidité et des nappes souterraines

Racines

pivotantes   oignons   étalées   Cactus

stagnent : aussi la vie résiste-t-elle. Cependant il lui faut constamment se soumettre à la loi du désert : attendre, capter la moindre goutte d'eau et l'économiser.

Trouver l'eau

La végétation plonge profondément ses racines, jusqu'à 40 mètres, à la recherche des nappes, ou s'étale pour capter l'humidité sur une grande surface tout en sécrétant des produits toxiques afin d'éliminer les plantes concurrentes.

La nuit, la brume recouvre les déserts côtiers du Namib et de l'Atacama.

Les animaux carnivores, tels les scorpions, les reptiles ou les renards, se contentent de l'eau que renferment leurs proies. Quant aux herbivores, comme les addax ou les gerboises, l'eau contenue dans les plantes charnues, les feuilles humides de rosée ou les graines leur suffit.

Faire des réserves

Le chameau boit en une seule fois 100 litres d'eau qu'il emmagasine dans la graisse de sa bosse. Ainsi, il peut marcher un mois sans boire.

Les plantes ont inventé les racines-réservoirs ou, comme les cactus, les troncs-éponges, imbibés d'eau, qui assurent leur existence pendant plusieurs années.

Récupérer l'eau

Pour réduire l'évaporation, les plantes raccourcissent la taille de leurs feuilles recouvertes de vernis et souvent épineuses.

Les animaux, eux, freinent le processus de la transpiration, récupèrent l'eau de leur respiration et produisent des excréments secs.

Ce n'est pas la terre qui donne les fruits, mais l'eau.

Proverbe turkmène

L'orage va réveiller la végétation et la vie animale.

L'addax, ou antilope du désert, peut rester longtemps sans boire. Il puise sa ration d'eau dans les plantes.

Puits d'irrigation au Sahara. Les hommes ont un besoin quotidien d'eau douce. Ils restent dépendants des puits.

La vie cachée

L'écureuil africain
s'abrite pendant un
court instant à
l'ombre de sa queue.

Le renard otocyon
élimine l'excès de
chaleur grâce à ses
grandes oreilles.

La plupart des
insectes vivent le
jour dans des terriers.

Le scinque, petit
lézard, disparaît en
un clin d'œil dans le
sable.

Qui veut vivre dans le désert doit
maintenir constante la température
interne de son corps, les excès provo-
quant la mort. Hommes et animaux
mènent donc une vie essentiellement
nocturne et recherchent l'ombre pour
supporter les journées torrides.

Pour les animaux, un abri, un terrier
font l'affaire. Une carapace épaisse
pour les uns, une peau écailleuse ou
une bonne couche de poils pour les
autres, servent d'isolant contre les

brûlures du soleil. Les mammifères,
plus fragiles que les insectes ou les reptiles, possèdent de larges oreilles. Celles-ci, en augmentant la surface d'évaporation du corps, accélèrent le
refroidissement du sang dès que l'animal est à l'ombre. Lézards et tortues
supportent 50 °C : il leur suffit de se

coucher dans les buissons (1). Les insectes et les petits animaux doivent creuser des terriers : dès 1 mètre de profondeur, la température n'est plus que de 30 °C (2).

D'autres espèces choisissent de s'élever dans l'air où la température est là aussi plus supportable. Ainsi le vautour plane à 300 mètres, où il ne fait que 27 °C (3).

Autruches et chameaux réduisent le plus possible leur contact avec le sol grâce à de longues pattes fines. De longs cous surélèvent encore la tête : à 2 mètres au-dessus du sol, la température s'abaisse à 40 °C (4).

Les hommes, à l'exemple des animaux, demeurent durant la journée dans les campements ou bien s'enveloppent dans de longs et amples vêtements qui les protègent du soleil.

On ne voit que les yeux de la vipère cornue aux aguets dans le sable.

Des peuples nomades

Les nomades ont besoin de se déplacer constamment pour rechercher les trois éléments indispensables à leur vie : des pâturages pour les troupeaux, de l'eau et du sel.
Afin de faciliter leurs pérégrinations, leurs demeures sont très légères et facilement démontables.

Elle ne voit de lui que ses yeux, parce que son visage est voilé d'un linge bleu, comme celui des guerriers du désert. Il porte un grand manteau blanc qui étincelle comme le sel au soleil.

J.M.G. Le Clézio

Les peuples chasseurs-cueilleurs
Les Aborigènes, réfugiés dans les déserts australiens, ou les Bochimans, vivant dans les déserts sud-africains, sont nomades et vivent de chasse et de cueillette. Ils ne cultivent pas la terre. Leurs habitations se résument à de simples abris de branchages ou d'herbes.

Les Touareg, dispersés dans le Sahara central, habitent une tente en peau de chameau, de bœuf, de chèvre ou de mouton.

Les habitants des déserts froids d'Asie centrale vivent sous des tentes transportables, en feutre, les *yourtes*.

Les Aborigènes d'Australie voyagent par petits groupes de plusieurs familles, à la recherche des points d'eau.

Des peuples sédentaires

Au Maroc, les villes-oasis qui bordent les vallées du nord du Sahara sont construites en terre séchée et organisées pour la défense. Une riche décoration découpe les murs de ces ksars.

Les villes du Yémen, bâties en pierres et en terre, présentent souvent des façades peintes en blanc. Les maisons, très hautes, sont serrées sur des pitons.

Au centre des déserts de l'Arizona, les Indiens navajos vivent, l'hiver, dans de solides habitations en terre, les *Hougans*.

Les déserts abritent aussi des peuples sédentaires installés dans les points d'eau permanents. Ils sont souvent groupés en villages ou villes aux architectures très belles. Des techniques ingénieuses d'irrigation leur permettent de cultiver des jardins et des champs où les récoltes sont abondantes.

Autour des mosquées seldjoukides imposantes on dirait de grands fétiches importés, le rayonnement immanent des maisons en torchis, les murs parfumés dans la lumière du matin …
Lorand Gaspar

Les Indiens des déserts américains doivent se protéger de la chaleur et aussi de la neige et du froid. Les Hopis et les Navajos sont semi-sédentaires et utilisent des maisons en dur ou des huttes. Les Pueblos ont construit de véritables villes forteresses creusées dans le roc.

Les déserts du monde

1. Grand Bassin
2. vallée de la Mort
3. Mojave

Sahara
9. Hoggar, Tassilis

10. Aïr, Tibesti, Ennedi
11. Danakil

4. Sonora
5. Chihuahua
6. Paracas, Nacza
7. Atacama
8. Patagon

35. Antarctique

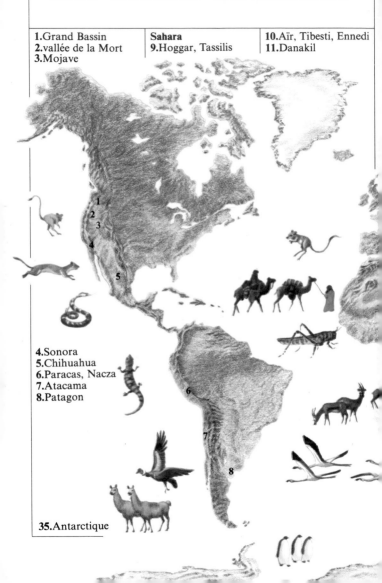

12. Namib
13. Kalahari

Arabie
14. Grand Nefoud
15. Nedjed
16. Rob' al' Khali
17. Hadramaout
18. Hedjaz

19. Neguev
20. Nubie

Grand désert iranien
21. Dacht-i-kévir
22. Dacht-i-lut

23. Thar
24. Kara koum
25. Kysyl koum
26. Takla-Makan
27. Gobi

28. Désert occidental
29. Sturt
30. Grand désert
      de sable
31. Victoria
32. Gibson
33. Nullabor
34. Simpson

Les déserts
nord-américains

Le coucou terrestre dit « le coureur de route » s'envole rarement. Oiseau agile et astucieux, il sait éviter les morsures de serpents qu'il tue à coups de bec.

Entre les Montagnes Rocheuses et les sierras qui bordent la côte Pacifique, la pluie est rare et les déserts s'échelonnent jusqu'au Mexique. Le relief est très accidenté : pics, plaines pierreuses, ravins compartimentent les plateaux creusés de canyons profonds. On y rencontre parfois des dunes très blanches de gypse poudreux, des lacs salés et d'anciens volcans.

Le Grand Lac Salé de l'Utah est un vestige du lac qui recouvrait jadis le **désert du Grand Bassin**. Sur ce plateau désolé, les armoises, plantes de montagne, se mêlent aux cactus.

La **Vallée de la Mort,** étroit couloir déprimé à 80 m au-dessous du niveau de la mer, renferme roches déchiquetées, dunes mouvantes et salines. On y enregistre les records de chaleur : 57 °C à l'ombre.

Le puma s'adapte à tous les climats. Ce « lion-des-montagnes » est un animal totémique pour les Indiens du désert.

Le **désert Mojave** est caractérisé par l'abondance des arbres de Larée à odeur de créosote. Les racines de cet arbrisseau sécrètent un produit toxique qui éloigne les autres plantes, protégeant ainsi son espace vital.

Le **désert de Sonora** encercle le golfe de Californie. Des cactus géants, cierges et saguaros, y poussent en grand nombre. Ils fournissent habitat et nourriture à une faune nombreuse et variée, dont le curieux coati, cousin du raton laveur.

Le **désert de Chihuahua**, entre les deux sierras Madre, connaît de violentes tornades d'été.

Le vent façonné des tours dans le **désert Peint** qui doit son nom aux étonnantes couleurs de ses roches.

Partout les étendues bossuées de caillasses aux couleurs crues, les taches de mesquite, les bourrelets d'épines et les flaques de cactus...

Pierre Pelot

Réveillé par l'averse, le désert californien se couvre de fleurs. Ces plantes éphémères assurent leur survie par la faculté d'adaptation de leurs graines qui demeurent « en léthargie » dans le sol durant les longues sécheresses. La cuticule épaisse - l'enveloppe - ne s'ouvre que si l'orage apporte une quantité d'eau suffisante pour assurer tout le cycle de végétation. Certaines plantes germent et fleurissent en moins d'une journée.

31

Au fond des canyons, les plantes résistent plusieurs mois grâce à l'humidité souterraine.

Les Indiennes navajos d'aujourd'hui chassent en costume traditionnel.

Autrefois, les Indiens pueblos utilisaient le soleil de midi comme calendrier. Les rayons lumineux, canalisés dans des fentes aménagées dans des blocs de pierres, atteignent une spirale gravée en contrebas. La position de ces traces de soleil indique les saisons et la date des travaux agricoles.

Le pays des cactus

Les paysages, violemment colorés, des déserts nord-américains sont dénudés ou recouverts de cactus. On dénombre 140 espèces de ces plantes particulièrement bien adaptées au désert : depuis les minuscules mamillaires de 5 cm de haut jusqu'aux puissants saguaros de 15 m qui peuvent vivre 200 ans. Les fruits, juteux et sucrés, font le régal des animaux qui dispersent leurs graines et leur permettent ainsi de se reproduire.

Les fleurs du désert, aux couleurs vives, dégagent des parfums puissants afin d'attirer les animaux pour qu'ait lieu la pollinisation.

1/Équinoxe de printemps
2/Solstice d'été
3/Équinoxe d'automne
4/Solstice d'hiver

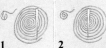

1   2   3   4

Le désert vivant

La vie animale, essentiellement nocturne, est curieusement abondante. Le rat-kangourou, symbole du désert, est le mieux doté pour survivre dans ces milieux inhospitaliers ; il a même colonisé la Vallée de la Mort. Il ne boit jamais et sa nourriture est composée de graines, dont il tapisse son terrier pour qu'elles captent l'humidité du sous-sol et lui procurent l'eau qui lui est nécessaire. L'écureuil de Mojave échappe aux canicules de l'été en vivant au ralenti au fond de son terrier.

Dans ces lieux austères survivent des Indiens rassemblés dans des réserves, comme les Hopis et les Navajos. Les Pueblos, dénommés *Anazasis,* les « Anciens », sont connus pour leurs villages creusés dans des falaises difficiles d'accès.

La vie, à cette latitude, est surtout représentée par ce que nous appelons les petits voleurs d'eau. Ils s'attaquent les uns les autres pour l'humidité, ils se repaissent des traces de rosée. Certains endroits du désert sont grouillants de vie. Mais toutes les créatures doivent apprendre à survivre dans les conditions rigoureuses du désert. Si vous vous retrouviez là en bas, il vous faudrait imiter ces créatures ou mourir.

Frank Herbert

Les fruits du cactus oponce procurent la nourriture et l'eau indispensables à l'écureuil-antilope.

Mare desséchée et stérile de la Vallée de la Mort.

La chouette elfe installe son nid dans le cactus saguaro.

Les déserts sud-américains

Une large région désertique prend en écharpe l'Amérique du Sud, depuis le Pérou et le Chili, jusqu'à la côte Atlantique de la Terre de Feu.

Déserts côtiers

Sur 3 000 km la côte Pacifique est bordée par le courant froid de Humboldt qui provoque une brise marine « sèche ». Celle-ci capte l'humidité des terres qu'elle balaye en s'élevant sur les pentes andines. Ce phénomène de condensation enveloppe, presque toute l'année, la région côtière d'un

Les lamas fournissent vêtements et nourriture et servent de moyen de transport. Comme le chameau, leur cousin, ils sont adaptés à la sécheresse et au froid.

Désert de Paracas

voile très dense de brumes et de brouillards. L'évaporation est telle que l'aridité du sol est absolue.

Le **désert de Paracas**, près de Lima, est remarquable par ses hautes dunes blanches, roses ou pistache.

L'**Atacama** (Chili) c'est le « désert des déserts », le plus sec du monde : certains endroits n'ont jamais connu la pluie. Dans ces hautes plaines sont exploitées depuis un siècle des mines d'or, d'argent, de nitrates, d'iode et de cuivre.

Les pélicans pêchent en bordure du désert.

Les cactus candélabres poussent sur les pentes les plus humides.

Désert de l'Atacama

L'exploitation des mines de cuivre se fait très souvent à ciel ouvert.

En bordure du désert de Paracas veillent des momies.

Le *fardo*, splendide tissu funéraire, enveloppe les momies. Il comprend différentes pièces de tissus d'un seul tenant mesurant 28 m de long sur 4 m de large et nécessitant 160 km d'un fil à deux brins.

Les Précolombiens, ignorant la roue, le tour et le dévidoir, ont dû entreposer le fil tendu sur les espaces immenses du désert de Nazca.

la pampa tire à soi
sa maigre couverture
desséchée
et reprend encore une
fois sa tâche de
ménagère
obligée de nourrir
l'innombrable famille
des vaches aux flancs
pointus
avec des chardons
morts et de l'herbe
posthume.

Jules Supervielle

Nazca, un désert énigmatique

Au Pérou, en bordure du Pacifique, dans le désert extrêmement aride, proche des villes de Nazca et de Paracas, d'étranges lignes géométriques, absolument droites, sillonnent la haute plaine caillouteuse. Ici ou là, sur les flancs des collines, des dessins géants, gravés d'un seul trait, représentent des animaux stylisés. En plein désert, dans les endroits plus sableux, le vent dégage des momies enveloppées de tissus funéraires et entourées de poteries. L'absence de pluie conserve intacts ces vestiges d'une civilisation datée probablement de 800 à 500 ans avant J.-C. Selon certains archéologues, ce peuple inconnu aurait utilisé les immenses sillons rectilignes creusés dans le désert de Paracas pour entreposer et tendre, sans qu'ils s'emmêlent, les kilomètres de fil continu à deux brins utilisés pour le tissage des draps funéraires.

Pélican, 105 m

Grand condor, 135 m   Araignée, 46 m

Ces dessins gravés d'un seul trait ont des significations magiques. On les trouve représentés aussi sur les vases funéraires.

Le désert patagon

La Patagonie couvre tout le sud de l'Argentine jusqu'à la Terre de Feu. En contrebas des Andes qui assèchent les vents venus de l'ouest, la steppe herbeuse de la pampa pastorale devient très aride : pampa dénudée, infiniment plate, balayée par un vent glacial, le *pampero* ; désert de terre noire, de sables, de pierrailles, parsemé de buissons épineux et d'herbes rares. Plus on s'approche de la Terre de Feu, plus il fait froid et plus la végétation se fait rare. Seuls, lichens et chardons subsistent. Le ciel très bleu, immense, traîne de longs cortèges de nuages, mais la pluie est rare.

Le port d'Ushuaia, face à la Terre de Feu, la ville la plus australe du monde.

A la limite sud de la Patagonie désertique commence le pays des grands glaciers venus des montagnes noyées par les pluies glaciales.

Les déserts d'Asie centrale

Cobra en position d'attaque.

Les saxaouls blancs perdent leurs feuilles dès les grandes chaleurs.

De la mer Caspienne à la Mongolie, l'Asie centrale, éloignée des océans, cernée par les hautes chaînes de l'Himalaya, est un chapelet de déserts très rudes. L'été, véritable fournaise, accentue l'évaporation intense et l'air se charge de poussière. En revanche, l'hiver, l'air venant de l'Arctique proche, est glacial et chargé d'un peu de neige. Dans ce climat très hostile, des plantes se sont adaptées au manque d'eau et au gel. La faune survit la plus grande partie de l'année en léthargie dans les abris et ne s'éveille qu'avec les pluies de printemps. C'est le pays d'origine des chameaux à deux bosses.

Le **Turkestan russe** est le quatrième désert du monde par son étendue (1/5 du Sahara). Deux fleuves divaguent dans les sables et le morcellent en plusieurs déserts : le **Kara koum**, « sables noirs », situé entre la mer d'Aral et le fleuve Amou Darya, est une immensité monotone de collines de sables colonisées par les saxaouls, et de dunes, barkhanes très mouvantes et destructrices. Le **Kysyl koum**, « sables rouges », entre les fleuves Amou et Syr Darya, est plus petit et présente une mosaïque de paysages variés avec des montagnes de pierres, des plateaux de sable et de graviers, et des plaines sableuses rouges.

Groupées en bosquet, les férules servent d'abri aux oiseaux.

Les champignons s'adaptent aux rares pluies du désert.

Protégé, l'âne sauvage, ou *Kulan*, se multiplie dans le Turkestan russe.

39

*(Elle) prêtait l'oreille au bruit de leurs pas, s'émerveillant
de la façon dont les Fremen progressaient.
Ils étaient quarante à traverser le bassin
et les bruits qui s'élevaient dans la nuit
étaient naturels. Leurs robes, flottant entre les ombres,
semblaient des voiles fantomatiques.
Ils marchaient vers le Sietch Tabr.*

Frank Herbert

Turkestan chinois

La dépression chinoise du Tarim contient une étendue de sable aussi vaste que la France : le **désert de Takla-Makan**. En langue ouïgour son nom signifie « impasse ». Autrefois sa lisière montagneuse était jalonnée d'oasis qui servaient d'étapes aux caravanes sur la Route de la soie et qui sont aujourd'hui en partie effacées par les dunes mouvantes. C'est un désert très rude, aux tempêtes meurtrières, ponctué d'une succession de crêtes de dunes, glacées la nuit, surchauffées le jour, ou de cuvettes d'argile desséchée, les *bayirs*. Les quelques mares subsistantes sont salées. Des caravanes entières ont été englouties et des ossements émergent du sable comme autant de témoignages. Le cœur du désert n'est accessible que depuis l'utilisation de l'hélicoptère.

La mystérieuse cité de Loulan assurait une étape au bord du lac Lop Nur.

Le hérisson du désert trouve nourriture et boisson dans les insectes.

Le vent chargé de sable érode peu à peu les ruines des forteresses que le désert engloutit.

Le chameau de Bactriane est souvent attelé à un chariot.

Entre Chine et Pakistan, la frontière glaciale et désolée n'arrête pas les nomades.

Les bergers des hauts plateaux ont adopté la casquette Mao.

Vers l'est, les déserts deviennent de plus en plus froids et, en Mongolie, le **désert de Gobi** est particulièrement glacé. C'est plutôt une steppe aride qu'un vrai désert. On n'y rencontre ni cours d'eau ni lac, mais seules quelques mares stagnantes au moment des rares pluies. Le sol, quelquefois pierreux, est couvert d'une maigre végétation de graminées et d'armoises. Les nomades se protègent dans des tentes de feutre et de laine, les *yourtes*.

Les hauts plateaux himalayens - au nord de l'Inde - sont de véritables déserts d'altitude où une raréfaction

Pour les sables froids du désert,
j'ai quitté la route des passes ;
Les chameaux gémissent la nuit
sur leurs vieux jours dans les brumes
jaunes.

Tch'en Fou

Érodé et sculpté par les vents violents, ce vestige de tour de guet a plus de 2 000 ans.

Les caravanes de chameaux empruntent encore l'ancienne Route de la soie.

Le désert de Gobi n'offre aux troupeaux de chevaux que de maigres touffes de graminées.

de l'air entraîne une baisse de la température et fait chuter le taux d'humidité. Ces **déserts du « Toit du monde »** connaissent peu de précipitations et l'évaporation concentre les sels des eaux résiduelles. Violent et constant, le vent met la roche à nu et la végétation ne peut s'y fixer.

Les hommes, qui se rassemblent dans les vallées, souvent irriguées, ont domestiqué des yacks, des petits chevaux et des moutons, tous bien adaptés au climat.

Les édifices religieux bouddhiques jalonnent les déserts d'altitude.

43

De l'Arabie au Sind

Les Perses ont inventé, il y a 3 000 ans, les *qanats*, ou canaux souterrains, jalonnés de puits d'accès qui captent

l'humidité. Ils sont utilisés du Pakistan à l'Afrique du Nord.

En Asie, au-delà de la mer Rouge, le Sahara se prolonge en un grand désert chaud qui longe le tropique du Cancer. De l'Arabie jusqu'au Sind, en Inde, le climat, la faune et la flore restent similaires.

Lorsque les marchands de Perse vont d'une province à l'autre, ils traversent des déserts immenses, à savoir des lieux sableux, dénudés et secs, où ne pousse nulle herbe ou autre chose capable de nourrir les chevaux.

Marco Polo

Les nomades baloutches recherchent les pâturages sur les contreforts montagneux.

Dans le désert dú Thar, la traditionnelle foire aux chameaux connaît encore aujourd'hui une grande animation.

Dans les villages du désert iranien, les maisons en terre sont serrées les unes contre les autres. Des murs épais les protègent de la chaleur.

Le **grand désert iranien** s'étend jusqu'en Afghanistan et effleure le Pakistan. Il comprend le **Dacht-i-kévir** avec ses dunes de sable hautes de plus de 300 m et le **Dacht-i-lut**, le grand désert salé. Le vent violent y creuse des sillons en couloirs larges de 20 à 30 m, appelés des *kaluts*. Seules, les hautes montagnes qui enserrent ce plateau aride apportent un peu d'humidité.

Le **désert du Thar**, au nord-ouest de l'Inde, est le dernier désert oriental, le plus aride et le plus chaud ; aussi les caravanes qui transportent le sel, la laine et les peaux le traversent-elles la nuit.

Le pétrole, qui jaillit naturellement, est exploité depuis longtemps dans les montagnes iraniennes du Khuzestân.

> *Et que dire des ascètes et des anachorètes,*
> *ces étrangers dans le monde, qui du désert*
> *ont fait une cité... ?*
> Isaac le Syrien

... l'on monte à cheval, l'on cherche l'ennemi, l'on se rencontre, on parlemente ; souvent on se pacifie, sinon l'on s'attaque par pelotons ou par cavaliers ; on s'aborde ventre à terre, la lance baissée ; quelquefois on la darde, malgré sa longueur, sur l'ennemi qui fuit : rarement la victoire se dispute ; le premier choc la décide ; les vaincus fuient à bride abattue sur la plaine rase du désert.

Volney

Des autoroutes ultra-modernes sillonnent le désert entre les grandes villes saoudiennes.

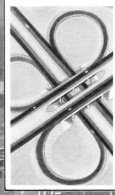

En **Arabie**, les dunes recouvrent le tiers de la péninsule.

Au nord s'étend le **Grand Nefoud**, balayé par un vent chaud, le *simoun*, qui soulève une fine poussière jaune.

Puis on rencontre le **Nedjed**, plateau surchauffé de laves et de roches granitiques et le **Rob'al'khali** ou « quart vide », immensité de dunes encore mal connues où la vie est rare.

Au sud, le plateau calcaire de l'**Hadramaout**, « la verdure est morte », est profondément entaillé de canyons. Seules les vallées sont habitées.

Dans le **Hedjaz** se trouvent les villes saintes de l'islam. L'industrie du pétrole y a apporté un habitat et des techniques ultra-modernes.

L'oryx d'Arabie, grande antilope d'un blanc pur, était réputé pour ses vertus magiques.

La Grande Arabie d'en face (...) luit comme un feu de Bengale ; elle est un chaos de braises vives, de charbons roses, entassés en muraille dans le ciel déjà assombri, tandis que la mer déserte, à ses pieds, semble devenue une chose éclairante par elle-même, peut-être une plaine d'émeraude illuminée par en dessous.

Pierre Loti

La Mecque, haut lieu de l'Islam, est située dans le désert du Hedjaz. Les musulmans y vénèrent la « Pierre Noire ».

Le téléphone en plein désert fonctionne à l'énergie solaire...

Riyād, capitale de l'Arabie Saoudite.

La mer Morte connaît une évaporation telle que le sel se cristallise et flotte à la surface.

Dans les sables de Nubie, les pyramides de Méroé témoignent de l'antique royaume de Koush, disparu au IVe s. av. J.-C.

Rien de vivant, ni autour de nous, ni devant nous, ni nulle part ; seulement, à de grandes hauteurs, on pouvait, grâce au silence, entendre par moments des bruits d'ailes et des voix d'oiseaux...

Eugène Fromentin

Le désert d'Arabie se poursuit au nord jusqu'en Syrie, englobant la Palestine et l'Inde. Les paysages colorés d'ocre et de roux font alterner montagnes érodées, dunes de sable et plateaux pierreux.

Le **Néguev**, vaste triangle aride s'étendant au sud de la mer Morte, n'a pas toujours été un désert. L'antique civilisation des Nabatéens avait su le fertiliser en créant des réseaux de canaux souterrains pour distribuer l'eau. Leur capitale, Pétra, était très prospère. L'invasion des nomades musulmans et de leurs troupeaux détruisit ce verger. Actuellement, Israël s'efforce de restaurer les citernes, les puits et les canaux afin d'irriguer les nouvelles plantations d'arbres.

La rose de Jéricho est une plante typique des déserts d'Arabie, de Syrie et de Palestine. Poussant en buisson aux rameaux trapus et velus, elle donne des petites baies rondes. Dès que celles-ci sont mûres, la plante se met en boule et se laisse rouler sur le sable, au gré du vent, à la recherche d'un lieu humide où elle se fixera.

Devant ces magnificences de la terre et du ciel, dont l'homme est confondu, la voix chante, chante, psalmodie au dieu de l'Islam, qui est aussi le dieu des grands déserts.

Pierre Loti

Les eaux sont amères, sulfureuses et très toxiques.

Dans la solitude du désert, la coupole d'un mausolée appelle à la prière.

Au fond d'une gorge imposante, la ville morte de Pétra, en Jordanie, était creusée à même le rocher.

49

Le Sahara

Aiguille de lave phonolite de Tidjemayène (Ahaggar).

Le fennec, ou renard des sables, est le symbole du Sahara. Ses grandes oreilles éliminent l'excès de chaleur.

La préparation de trois verres de thé est un rituel chez les nomades.

Le mot arabe *Sahra'* signifie « plaine ocre désolée » et désigne aujourd'hui l'immensité désertique qui va de l'Atlantique à la mer Rouge et de la Méditerranée à l'Afrique noire.

Le Sahara, grand comme huit fois la France, partagé entre dix pays, est le seul modèle des déserts tropicaux qui jalonnent le tropique du Cancer. Les pluies y sont rares et brutales ; elles n'atteignent que les bordures, au nord en hiver, au sud en été. La température élevée accentue l'évaporation de l'air

déjà sec. Le sol peut dépasser 70 °C ; à l'ombre, on a enregistré jusqu'à 55 °C. Mais les nuits sont froides et, l'hiver, il gèle fréquemment.

Les vents fréquents et irréguliers soufflent avec violence, soulèvent des tempêtes de sable et dessèchent tout sur leur passage (*Khamsin, Ghibi, Harmattan*).

Malgré une impression de monotonie due à l'immensité des espaces, les paysages sont variés ; les mouvements géologiques ont brisé et déformé le socle ancien cristallin et sa couverture de calcaires ou de grès ; le volcanisme et l'érosion ont achevé le modelé des reliefs : aussi le Sahara n'est-il pas une simple plaine de sable.

Les **massifs montagneux** se réduisent parfois à un pic isolé, guelb, mais couvrent aussi des régions entières (Hoggar, Iforas, Aïr, Tibesti).

Le **reg** est le paysage le plus fréquent (Tanezrouft, Ténéré). La vie y est rare et les nomades s'y aventurent rarement.

L'**erg**, paysage le plus connu, ne couvre que 1/5 du désert.

Bien que présentent une remarquable unité, le Sahara peut être découpé géographiquement en plusieurs unités.

Le **Sahara du Nord,** région des oasis et des palmeraies dispersées dans les anciennes vallées fluviales, est remarquable par l'architecture austère de ses villes. Les nomades sont surtout des tribus arabes.

La bouche du fleuve Niger, entre Tombouctou et Gao, n'interrompt pas le désert.

Le vent a dégagé du sable les troncs fossilisés des forêts d'il y a 200 millions d'années.

La beauté des dunes a contribué à rendre célèbre le paysage de l'erg mais il n'est pas le plus fréquent.

Ce ne sont que des blocs brisés,
aigus comme des couteaux,
où la lumière fait des étincelles.
Il n'y a pas d'arbres, ni d'herbes,
seulement le vent qui vient
du centre de l'espace.

J.M.G. Le Clézio

Le **Sahara central** est un massif montagneux, l'Ahaggar (ou *Hoggar*, en arabe) entouré de plateaux, les Tassilis.

Le **Hoggar** est un massif riche en contrastes avec des chaînes élevées d'où jaillissent des pitons de laves volcaniques (Atakor, 3 500 m), des vallées étroites où subsistent parfois des mares et une faune rescapée des périodes humides. Il n'y a pas de palmiers mais des acacias et des cyprès. C'est le pays des Touareg, peuple berbère, féodal, célèbre pour ses mœurs pleines de noblesse.

Autrefois très répandue, l'autruche n'existe plus que dans le sud du Sahara, près de l'Aïr. Elle ne vit plus en troupeau.

La gerboise ne boit jamais. Elle trouve suffisamment d'eau dans les graines.

Le sable est un milieu riche qui ne demande qu'un peu d'eau pour provoquer la germination.

Le paysage le plus commun du désert est un cailloutis plus ou moins riche en sable.

Les **Tassilis** sont des grands plateaux profondément ravinés formant des falaises abruptes de plusieurs centaines de mètres. L'érosion les a souvent morcelés en gorges étroites et en aiguilles formant une véritable dentelle de pierre (Tamrit).

Le **Sahara méridional** est formé de regs immenses (comme le Tanezrouft, « le pays de la soif », ou le Ténéré) et de massifs isolés (Aïr, Tibesti, Ennedi). Au Tibesti, se trouve le point culminant du Sahara : le piton volcanique de l'Emi Koussi (3 415 m).

Les peuples berbères nomades, Maures, Touareg ou Toubous descendent jusqu'aux confins du Sahel tropical à la recherche des pluies qui font pousser « l'herbe à chameaux ».

Le **Sahara atlantique** est un peu plus humide grâce à l'influence du courant froid des Canaries qui apporte brouillard et rosée. C'est une région de passage entre le Sénégal et le Maroc parcourue par les nomades maures. Sur la côte, les tribus sont essentiellement des pêcheurs.

Le Sahara est un carrefour de races et de religions. Dans les oasis prédominent les Harratins d'ascendance noire. Au nord, nomades et sédentaires se rattachent au monde arabe. Les bastions montagneux abritent les tribus berbères (Touareg, Maures, Toubous).

L'oasis est un paradis de verdure dans le désert. Le palmier-dattier en est l'arbre providence.

Les mouchetures de la robe du guépard lui permettent de se confondre avec le sable. C'est un animal devenu très rare.

Les criquets pèlerins dévorent tout là où ils se posent.

Le sel est indispensable à la vie et les nomades visitent annuellement les salines, c'est la « cure salée » des troupeaux.

Quand le Sahara était vert

Le Ténéré, d'où la vie est absente aujourd'hui, recèle des vestiges de villages, riches en outils de pierre, harpons en os, pointes de flèches, poids pour les filets de pêche.

On imagine ces néolithiques, chasseurs de gazelles et de phacochères, établis autour des oueds au cours encore régulier ; ils y pêchent des barbeaux et des silures pour améliorer l'ordinaire. Ils font la cueillette de baies et de plantes à épis qu'ils savent broyer, peut-être moudre.

Lorand Gaspar

Il y a 6 000 ans, les hommes préhistoriques ont connu un Sahara humide et verdoyant que font revivre les découvertes étonnantes des géologues et des archéologues. Ainsi, au fond des lacs desséchés ont été trouvés des ossements de crocodiles, d'hippopotames, des restes de poissons et de mollusques ; et dans le sol, des pollens de tilleuls, hêtres, cèdres, herbes de prairies.

Les superbes peintures, mises à jour dans le Tassili, retracent la vie de ces civilisations disparues : des troupeaux de bœufs, des girafes, des éléphants évoluent dans un environnement de

Nageurs (peintures de Timenzouzine)

forêts et de prairies traversées par des fleuves ou parsemées de grands lacs.

Il y a 4 000 ans, le climat a lentement changé, la sécheresse s'est installée et a chassé les plantes, les animaux et les hommes. Seules les montagnes, comme le Hoggar, ont conservé un reste d'humidité et sont devenues aujourd'hui le refuge des quelques tribus qui se sont peu à peu adaptées à un nouveau mode de vie.

Troupeau de vaches (peintures du Tassili)

Le désert Danakil

Un paysage de sel :
des érosions en pics,
des mares de saumure
chaudes.

Au nord du Grand Rift, profonde cassure de l'Afrique orientale, se trouve la région la plus chaude, la plus basse et la plus inhospitalière de la Corne de l'Afrique. C'est le brûlant désert Danakil où la température dépasse 55 °C à l'ombre. Situé entre la mer Rouge et les monts éthiopiens, ce lieu autrefois fertile, peuplé dès les débuts de l'humanité, a été réduit à l'état de désolation extrême par les bouleversements géologiques et l'évolution du climat.

Le paysage est d'une aridité impitoyable ; seuls quelques maigres buissons épineux survivent dans les zones arrosées par la mousson.

Le relief, d'origine volcanique, est instable ; plateaux, failles, plaines encaissées se succèdent. Aux couleurs ocres du désert s'ajoutent les rouges, les bruns, les verts des laves, des fumerolles et des lacs de boue ou d'eaux chaudes sursalées.

Une mer, aujourd'hui évaporée, a fait place à une grande dépression recouverte de couches de sel pouvant atteindre 5 000 mètres d'épaisseur. Depuis des millénaires, des nomades

Plaine d'argile desséchée, surchauffée, que seuls les nomades entraînés peuvent traverser.

Il y a 4 000 ans, ces cheminées ruiniformes d'où s'échappent des fumerolles de soufre, tapissaient le fond d'un lac immense et profond. Aujourd'hui ce lac Abhé est presque asséché.

l'exploitent et l'exportent sous forme de briquettes dans tout le Nord-Est de l'Afrique.

Ce pays est presque inhabitable, les animaux y sont rares. Seuls les nomades afars survivent, à la poursuite des pluies occasionnelles. A chaque halte, les femmes montent le *toukoul*, hutte tribale faite de nattes de paille tressée posées sur une armature de bois.

Et voici, avec ce vent d'hiver, c'était sinistre tellement, qu'une mélancolie de source ancestrale et lointaine tout à coup se joignit à l'attirance du vide, un regret d'être venu, une tentation de fuir...

Pierre Loti

Le Namib

L'otarie à fourrure du Cap Cross pêche dans les eaux froides. Cette espèce se rencontre aussi en Australie.

Plante étonnante et spécifique du Namib, le welwitschia mirabilis peut vivre 2 000 ans. Tous les 100 ans, elle fabrique 2 feuilles de 3 m de long. Ses racines adventives absorbent la brume et sa racine principale, longue de 10 m, plonge dans la nappe d'eau souterraine.

Bordant la côte sud-ouest de l'Afrique, le Namib est l'un des déserts les plus anciens et les plus arides du monde.

Cette sécheresse, il la doit à sa latitude – proximité du tropique du Cancer –, mais aussi aux eaux froides du courant côtier de Benguela. Les pluies y sont faibles, voire nulles. La brise de mer apporte chaque nuit une épaisse

brume qui se condense, le matin, en fines gouttelettes vite absorbées par la chaleur intense. Les animaux et les plantes se sont adaptés grâce à des techniques particulières de survie. Les animaux sortent la nuit à la recherche

des débris dispersés par le vent de mer, qui leur fournissent les aliments de base. La flore s'est spécialisée dans l'accumulation des réserves d'eau et prend des formes étranges.

Dans cette étroite et longue bande côtière, les paysages sont variés. Le nord, montagneux, est travaillé par le vent en sites grandioses. Des nappes

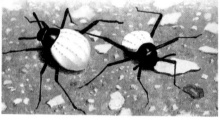

de graviers déposés par d'anciens fleuves et riches en diamants font sa célébrité.

Au sud, le socle de roches rouges est transformé en sable que le vent accumule en énormes dunes de plus de 300 mètres de haut.

En bordure des hautes dunes rouges, le Pan, sorte de cuvette, se remplit d'eau à la saison des pluies d'été et attire des milliers de flamants roses.

Les ténébrions pullulent dans les graviers. Leur carapace épaisse réduit l'évaporation de l'humidité du corps.

De grandioses canyons s'enfoncent dans les montagnes vers le fleuve Orange.

Le Kalahari

La terre rouge se couvre d'iris dès la moindre pluie.

Bien adaptées au sable, les mangoustes suricates ont des terriers climatisés et une vie coloniale réglée par un code de cris variés.

En Afrique australe, isolé des vents humides par une ceinture de montagnes, le **Kalahari** est un vaste plateau d'altitude moyenne, creusé de vallées sèches et de dépressions argileuses, fonds de lacs temporaires. La température étouffante connaît des écarts de 30 °C dans une même journée. Les

Les huttes temporaires en branchages sont de simples abris contre le vent.

pluies occasionnelles tombent en été et s'évaporent vite ; la sécheresse reste constante.

Les Bochimans se nomment eux-mêmes *Ju Twasi*, « le peuple de la vérité ». Ils forment un groupe humain à part, très ancien, mi-mongoloïde, mi-africain. Adaptés depuis la préhistoire à une vie difficile, ils accumulent des réserves de graisse dans leurs muscles fessiers, d'où leur surnom d'« hommes-chameaux ». Excellents chasseurs, à la vue perçante et à l'odorat fin, les hommes peuvent abattre, à 100 mètres, d'une flèche empoisonnée, une antilope en pleine course. Les femmes parcourent le désert à la recherche de bulbes et racines riches en eau, pour la boisson.

Le vrai cœur du désert est une mer de sable très rouge aux longues dunes mouvantes.

Ce désert rouge, où seuls des buissons épineux et des baobabs peuvent survivre, est devenu le refuge des Bochimans qui y mènent une vie nomade de chasseurs-cueilleurs.

L'antilope springbok, aux cornes en forme de lyre, parcourt de grandes distances sans boire. La saison sèche rassemble les troupeaux près des marécages bordant le désert.

63

Les déserts australiens

Émeu

Importé il y a un siècle par les colons, le dromadaire permet de traverser les dunes rouges du désert de Simpson.

L'émeu est le deuxième oiseau du monde par la taille. Il peut courir à la vitesse de 50 km/h et aussi nager.

Long de 90 cm, le lézard à collerette déploie sa membrane en cas de danger et siffle, gueule ouverte.

L'Australie, continent massif, est traversée par les hautes pressions du tropique austral, causes de sécheresse. En même temps, la cordillère côtière s'oppose à la pénétration des pluies dans l'arrière-pays, aussi les deux tiers des terres sont-elles désertiques : immenses étendues rouges, stériles, de plaines d'argile desséchée, de sel, de cailloux, de sable sous un soleil torride où la température atteint 48 °C à l'ombre. Les longs mois de sécheresse sont rarement interrompus par de violents orages vite évaporés.

On rencontre plusieurs types de déserts selon la morphologie des diverses régions et la nature du sous-sol.

Le **désert occidental** est un désert « pavé » avec des collines érodées, des plaines riches en chaux et du sable.

Le **désert de Sturt**, immensité de pierres très tranchantes, est difficile à franchir.

Le **grand désert de sable** a des dunes allongées en rides parallèles, très longues, souvent fixées par des buissons épineux.

Le **désert Victoria** et le **désert de Gibson**, aux dunes irrégulières et dispersées, font place au plateau calcaire de **Nullabor** qui domine la mer de ses falaises stériles. L'eau des nappes souterraines est salée.

Le sable du désert occidental est parfois hérissé de rocs.

Ayer's rock monolithe de 350 m de haut et d'un périmètre de 9 km, est isolé en plein désert.

Il y avait dans ce tableau un caractère de magnificence, de plénitude, d'immensité, qui tenait l'âme pour ainsi dire suspendue : l'infini, toutes les fois qu'on le rencontre, arrête la pensée et presque jusqu'aux battements du cœur.

Comtesse de Gasparin

Le dingo, chien sauvage, est arrivé en Australie avec les Aborigènes.

L'aridité a conservé des œufs de dinosaures vieux de 80 millions d'années.

Le **désert de Simpson**, avec ses dunes rouges et ses broussailles épineuses, est très riche en reptiles. Il est appelé « le cœur mort » de l'Australie.

Des plantes et des animaux divers se sont adaptés aux conditions extrêmes. L'herbe « porc-épic » est si épineuse que les herbivores s'en écartent, ce qui lui permet de survivre.

Parmi les lézards, le goanna géant peut atteindre 2,40 m.

Comme les émeus, les kangourous s'installent dans les zones arides et rejoignent de temps en temps un point d'eau.

La Terre promise est toujours
de l'autre côté du désert.

H. Ellis

Les Aborigènes, arrivés en Australie il y a 100 000 ans, survivent dans les conditions précaires du désert grâce à leur connaissance parfaite des plantes, des animaux et des points d'eau. Quelques tribus continuent leur vie ancestrale, libre et nomade.

Dans leur mythologie, la montagne Ayer's rock est un sanctuaire appelé Uluru où réside Wanambi, « l'esprit-serpent » qui juge les mortels. Lieu de paix, il rassemble les tribus autour des mares de ses flancs, lors des grandes sécheresses.

En recueillant cette manne,
j'ai frôlé les aromates
du sol, et mes mains en gardent
pour longtemps une senteur exquise.

Pierre Loti

Jaillissant du désert, les reliefs anciens sont tous aplanis sous l'effet de l'eau et du vent.

Carnivores, les souris-gerboises marsupiales chassent des proies aussi grandes qu'elles.

Les perruches ondulées, typiques du désert, s'assemblent au petit matin en bandes de milliers d'individus autour des mares.

Les longues dunes régulières du désert de Simpson sont difficiles à franchir.

67

L'Antarctique

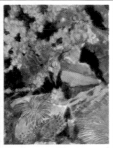

Seule parmi les lichens cette graminée résiste à la sécheresse et au froid.

Le blizzard est une combinaison de vent violent et de neige. Il coupe la visibilité à moins d'un mètre. Seuls des véhicules spéciaux peuvent l'affronter.

Sur ce continent massif presque centré sur le pôle Sud, règne le climat le plus froid du monde avec des températures atteignant – 92 °C et ne remontant jamais au-dessus de 0 °C. Des sommets élevés émergent de la couche de glace. Des vents très violents et l'insuffisance d'eau libre contribuent avec le froid à rendre l'intérieur de l'Antarctique impropre à la vie.

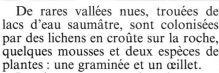

De rares vallées nues, trouées de lacs d'eau saumâtre, sont colonisées par des lichens en croûte sur la roche, quelques mousses et deux espèces de plantes : une graminée et un œillet.

La vie se concentre dans les zones maritimes et aucun animal ne s'aventure à l'intérieur où ne vivent que quelques insectes, acariens, protozoaires, dont la taille ne dépasse pas 5 mm.

Le manchot empereur s'éloigne peu de la banquise et ne s'aventure pas à l'intérieur du continent.

Station scientifique enfouie dans la neige pour résister au vent.

La reconquête du désert

La richesse la plus convoitée reste celle du pétrole.

Ces champs de blé circulaires, dans le désert de Lybie, ont 800 m de diamètre. Ils sont arrosés par un système sur rails, avec de l'eau pompée à 300 m de profondeur.

L'homme moderne cherche à domestiquer le désert et à en exploiter les ressources : cultures, minerais, sources d'énergie.

Reverdir le désert

L'irrigation est un procédé de mise en valeur des déserts très délicat. En s'évaporant, l'eau dépose des sels qui tuent la végétation ; par ailleurs, les rivières ou les nappes trop ponctionnées par des canaux ou des puits, s'assèchent. Partout dans le monde, de mauvaises techniques rendent les terres définitivement stériles.

La Lybie et Israël ont inauguré les systèmes d'irrigation les plus modernes permettant d'exporter un large surplus de récolte.

Les méthodes modernes reprennent souvent les techniques ingénieuses utilisées, il y a des milliers d'années, par les anciennes civilisations du désert.

Or noir et minerais précieux

Un grand nombre de gisements de pétrole ont été découverts dans les régions désertiques : Arabie, Irak, Texas, Californie... A cette richesse de

Dans le désert californien, cette centrale électrique capte l'énergie solaire à l'aide de centaines de miroirs.

Dans le Néguev, l'eau ruisselant des pentes est déviée par des murettes et des canaux vers les cultures situées en contrebas. La pluie tombée sur 25 hectares n'irrigue qu'un seul hectare de cultures.

l'or noir s'ajoute celle des minerais : argent au Mexique, cuivre dans l'Atacama, bore dans le Mojave, diamants en Afrique du Sud.

On s'intéresse au soleil, lui-même, pour produire de l'électricité.

71

Le petit lexique des déserts

Agave
Surnommée la « plante séculaire », elle ne fleurit qu'une seule fois en 50 ans.

Athene cunicularia
Petite chouette des déserts nord-américains imitant la sonnette des crotales pour faire sortir les rongeurs de leurs terriers.

Arroyos
Nom donné par les Espagnols aux ravins asséchés qui assurent l'écoulement temporaire de l'eau dans les déserts du Mexique.

Baobab
Dans le désert du Kalahari, les graines dures du baobab doivent être avalées par le babouin. Une fois rejetées dans les excréments, elles pourront germer.

Bédouins
Arabes nomades du Moyen-Orient. Ils recouvrent le sol de leurs tentes en poils de chèvre de précieux tapis de laine.

« Brosse de chameau »
Herbe en touffes rêches poussant dans les sables du Turkestan.

Battuta (ibn)
Géographe arabe du XIVe siècle qui, au cours de ses voyages, traversa tout le Sahara jusqu'à Tombouctou.

Chaambas
Tribu arabe nomade du nord-ouest du Sahara possédant des jardins et des palmiers dans les oasis.

Chameau
Animal parfaitement adapté au désert. Il en existe deux sortes : le dromadaire, à une bosse, qui vit de l'Afrique du Nord à l'Inde, et le bactriane, à deux bosses, existant en Asie Centrale.

Choga Mami
Site archéologique du désert iranien où se trouve l'un des plus vieux système d'irrigation du monde. Ces canaux datent de 5 500 av. J.-C.

Chuckwalla
Gros lézard des déserts américains qui, en aspirant de l'air, s'enfle pour se coincer dans la fente du rocher lui servant d'abri.

Dune (chant des dunes)
Parfois, on entend, la nuit, un bruit mystérieux, sorte de grondement produit par le sable qui s'écoule le long d'une haute pente lisse.

Dunhuang
Célèbre grotte à la

limite du désert de Gobi renfermant une bibliothèque chinoise de la fin du Xe siècle.

Drinn
Nom donné, au Sahara, à « l'herbe à chameau ».

Datte
Fruit très nourrissant du palmier, arbre des oasis sahariens. Un proverbe affirme qu'un Toubou vit trois jours avec une datte : le premier jour, il mange la peau ; le 2e, il mange la chair et le 3e, il mange le noyau.

El Goléa
Citadelle à la lisière du grand erg occidental, au Sahara. Le Père de Foucauld est enterré dans ses environs.

Epines
En région sèche, elles offrent de nombreux avantages ; elles évacuent bien la chaleur ; elles évaporent peu d'eau et offrent une légère prise au vent ; elles protègent la plante contre les animaux.

Estivation
Sommeil léthargique qui permet aux animaux de résister aux grosses chaleurs de l'été, à l'abri d'un terrier.

Fech-Fech
Terme arabe que l'on donne au Sahara à l'un des plus mauvais sols du désert : sable mou pulvérulent sous une faible croûte dure qui cède sous le poids du passant.

Figue de barbarie
Fruit charnu, comestible, recherché par les animaux et les hommes, produit par un cactus de la famille des oponces, le figuier de barbarie.

Fourmis moissonneuses
Vivent dans des terriers profonds de 5 m, dans les déserts américains.

Foggara
Mot arabe désignant un canal d'irrigation souterrain.

Gerbilles, gerboises
La gerbille américaine et la gerboise africaine sont les petits rongeurs, les mieux adaptés au désert, qui ne boivent jamais.

Guano
Grâce à l'absence totale de pluie, les excréments des milliers d'oiseaux marins déposés le long des côtes des déserts sud-américains s'accumulent pendant des siècles pour former un riche engrais : le *guano*.

Guelta
Terme arabe désignant un point d'eau ne tarissant pas. Le mot targui est *aguelmann*.

Halophytes
Se dit des plantes du désert qui poussent dans les terrains imprégnés de sel.

Harratin
Nom donné aux populations noires, sédentaires, vivant dans les oasis sahariennes.

Héloderme
Le seul lézard venimeux des déserts américains. Il

est aussi l'un des plus grands (il mesure 50 cm de long). Il se nourrit d'oisillons, de rongeurs et de lézards.

Inselberg
Vient du norvégien *Insel* (île) et *berg* (montagne). Il désigne une butte isolée au milieu d'une plaine d'érosion.

Islam
Nom donné à la religion, à la civilisation et au monde musulman.

Irrigation
Arrosage artificiel des terres désertiques par des canaux ou des rigoles qui apportent l'eau tirée d'un puits.

Inde (déserts de l')
Le Grand Désert Indien et le désert de Thar forment une vaste zone aride entre l'Himalaya et le golfe d'Oman.

Jojoba
Arbuste originaire du désert de Sonora, au Mexique, qui peut vivre 2 ans sans pluie.

Josué (arbre de)
Sorte de Yucca de 7 à 8 m de haut, dans le désert Mojave (U.S.A.). Il vit des centaines d'années mais ne pousse que s'il y a des alternances d'étés torrides et d'hivers glacés.

Koum
Sable, en langue turkmène. On distingue les sables noirs (*kara koum*) des sables blancs ne présentant aucune forme de vie (*ak-koum*) et des sables rouges (*kysyl koum*).

Koumli
« Hommes des sables », nomades vivant dans les déserts du Turkestan russe.

Lhote, Henri
Explorateur français qui étudia particulièrement les peintures rupestres du Sahara.

Lièvre du désert
Appelé encore lapin-kangourou, il peut faire des bonds de 5 m et distancer tous ses ennemis à la course (Amérique du Nord).

Lycose
Araignée-loup, poilue, de 5 cm d'envergure et pourvue de 8 yeux.

Litham
Voile porté par les hommes dans les tribus des nomades berbères du Sahara (mot arabe).

Makale
Marché au sel, proche de l'Ethiopie, où convergent les marchands venus de tout le Nord-Est de l'Afrique pour acheter les briquettes de sel transportées par les nomades depuis le désert Danakil.

Maures
Nomades berbères du Sahara, surnommés

les « hommes bleus »
à cause de la teinture
de leurs vêtements
déteignant sur la peau.

Mesa
Nom mexicain donné
aux plateaux
tabulaires calcaires
ou gréseux des
déserts nord-
américains.

Mirage
Illusion optique
provoquée par la
courbure des rayons
lumineux sur les
couches surchauffées
de l'air.

Navahos ou **Navajos**
Indiens des déserts de
l'Arizona. Ils ont su
préserver leur culture
malgré
l'imprégnation de la
civilisation américaine.

Niccolò Polo
Père de Marco Polo.
il fut le premier
Européen à traverser
les déserts d'Asie
centrale.

Oasis
Lieu irrigué et fertile
du Sahara, où vivent
les populations
sédentaires. Par
extension, nom
donné à tous les
points d'eau cultivés
des déserts.

Oued (pluriel ouadi)
Nom arabe désignant
les vallées asséchées
parfois depuis la
préhistoire qui
peuvent brutalement
se gonfler d'eau
après un orage.

Oxus (ou Arax)
Ancien nom du fleuve
Amou Daria, dans
le Turkestan russe. Il
est si large que les
armées d'Alexandre-
le-Grand mirent
5 jours pour le
traverser sur des
peaux d'animaux
cousues et gonflées.

Pinus aristata
Les plus vieux arbres
du monde, âgés de
4 900 ans. Ils
poussent dans les
White Mountains,
région semi aride
comprise entre le
Nevada et la
Californie.

Pierres-qui-marchent
Mystérieuses pierres
de la Vallée de la
Mort, en Californie,
laissant une longue
traînée sur le sol
argileux. Personne
ne les a jamais vues
bouger ; elles pèsent
des centaines de kilos.

Qanat (iranien)
Canal souterrain
horizontal amenant
l'eau captée dans la
haute vallée pour
irriguer les cultures en
contrebas.

Quartier-vide
Surnom donné au
grand désert arabe
du Rub'-al-Khali,
énorme mer de sable
inhabitée.

Route de la soie
Chemin suivi par les
caravanes qui
assuraient le trafic des
épices et de la soie
entre la Chine et
l'Occident. Elle
traversait une grande
partie des déserts
d'Asie.

Rul
Nom donné au génie

des dunes. Il ricane sur le passage des voyageurs angoissés ou mourant de soif lorsqu'ils traversent le désert du Sahara. En fait, ce rire n'est que le « chant des dunes », produit par le déplacement des sables.

Roger (lac)
Lac salé du désert de Mojave présentant une croûte de sel si dure qu'elle a été utilisée pour les atterrissages de la navette spatiale américaine.

Sebkhas
Cuvettes humides des déserts torrides où l'évaporation est telle que le sel se concentre pour former une croûte capable de supporter le poids d'un camion.

Sel
D'immenses surfaces désertiques sont recouvertes d'une sorte de « glaçage » de sel, impropre à la vie.

Succulentes
Se dit de certaines plantes dont les feuilles sont charnues, épaisses, gonflées d'eau.

Tarout
Cupressus du preziana : arbre voisin des cyprès, âgé de plus de 5 000 ans, contemporain du Sahara humide, qui survit encore dans le Tamrit (Tassili).

Temir bazik
« La goupille à éclat métallique », nom donné par les nomades turkmènes des déserts du Turkestan (Kysyl et Kara koum) à l'étoile polaire.

Utah
Vestige d'une ancienne mer, le Grand Lac Salé de l'Utah représente une énorme réserve de sels de potasse. Sa croûte très dure sert de piste automobile pour les essais de vitesse.

White Sand National Monument
Espace protégé du désert (Nouveau Mexique), caractérisé par de hautes dunes de sable très blanc formé de grains de gypse pur.

Xérophile
Se dit d'une plante adaptée au climat sec désertique.

Zangusk
Plateau dénudé du Kara koum, dans le Turkestan russe ; il est constamment balayé par des vents très violents.

Table des matières

8/Les mythes du désert
10/Définitions du désert
16/L'avancée des déserts
18/Le pays du vent
20/Le pays de la soif
24/La vie cachée
26/Des peuples nomades
27/Des peuples sédentaires

28/Les déserts du monde

30/Les déserts nord-américains
34/Les déserts sud-américains

38/Les déserts d'Asie centrale
44/De l'Arabie au Sind
  Les déserts africains
50/Le Sahara
56/Quand le Sahara était vert
58/Le désert Danakil
60/ Le Namib
62/Le Kalahari
64/Les déserts australiens
68/L'Antarctique

70/La reconquête du désert

Biographies

Geneviève Dumaine, naturaliste, ingénieur géologue-géophysicien a travaillé dans le domaine de l'océanographie puis dans la recherche pétrolière, ce qui l'a amenée à parcourir la plupart des déserts du monde.
Sylvaine Pérols est diplômée des Beaux-Arts d'Angers. Elle a déjà réalisé dans la collection Découverte Benjamin *Grains de sel, L'arbre, horloge des saisons*; dans la collection Découverte Cadet, elle a participé à l'illustration du *Livre de tous les pays* et du *Livre de la mythologie grecque et romaine*. Si ses illustrations sont la preuve sensible de son aspiration aux grands espaces, elle aime aussi la compagnie plus intime des chats, de la musique et des fleurs.